ゼロから学ぶ

アジャイル
入門講座

著

阿部晋也

株式会社 コガク

とおとうみ出版

AGILE

はじめに

　「アジャイル」と言うと、「聞いたことも無い」方もいれば、「ソフトウェア開発の話?」という方もいらっしゃるでしょう。
　しかし、DXが叫ばれる今、全ての方に重要なキーワードであることをご存じでしょうか。

　アジャイルはソフトウェアの世界では既に取り組まれている開発手法ですが、アジャイルの重要なポイントや考え方などはソフトウェア開発に留まるものではなく、今後のDX社会におけるビジネスでの基本的なマインドセットになるといっても過言ではないでしょう。すなわち、エンジニア・非エンジニア問わず、新入社員から役員まで、誰しもが知っておくべきことと言えます。

　本書では、「アジャイルって何?」という基本から、手法・考え方、従来のピラミッド型組織とアジャイル型組織では何が違うのかや、アジャイルに仕事をすることでどんなメリットがあるのか等を理解します。
　専門性の高い開発手法そのものを深く説明するのではなく、DX時代のリテラシーとして誰しもが身につけておくべき仕事の進め方・マインドセットとして理解できるようポイントを絞っています。

ITERATION

TESTING

DEBUGGING

DESIGN

AGILE

DEVELOPMENT

MAINTENANCE

REQUIREMENTS

3

目次

第1章 アジャイルのこと知っていますか？

第2章 アジャイルの背景にある考え方

第3章 自分の組織を考えよう

本書の使い方

　本書はeラーニング「ゼロから学ぶアジャイル入門講座」(※)の講義をリアルに紙面上で再現しました。講義の臨場感を感じられるよう、できるだけ講師の言葉をそのままにお届けしています。

　本書の特長として、「ワークブックテキスト」としてお使い頂けます。基本的な知識習得・理解をするための「テキスト」としての側面と、手を動かしてその学びを定着させる「ワークブック」としての二つの側面を持っています。ただ読むだけのテキストではなく、解いたら終わりのワークブックでもなく、その両方の機能を備えたのが「ワークブックテキスト」です。

　まずはテキストを読んで基礎学習を進め大まかな流れを掴んでください。次に、本文随所に設けられた空欄を埋めるワークとして、キーワードを自分自身で書き込んでください。「ゼロから学ぶアジャイル入門講座」のeラーニング動画(※)を視聴して講師の説明を聞き取る方法もありますし、自分自身で書籍やネット等を使い調べる方法もあるでしょう。空欄に当てはまる正解は巻末に掲載していますので、答え合わせをしてみてください。空欄が埋まり文章が完成されれば、完全版のテキストが出来上がります。完成したテキストを繰り返し読むことでさらに理解を深めてください。

　自分自身で読んだり、見聞きしたり、調べたり、そして手を動かして書いて、さらには正解かどうかを確認したり…と、様々な感覚を用いて「体験」することで、ただ読むだけでは得られない学習効果を得ることができるでしょう。テキストを「あなたが作り上げる」、そんなイメージで取り組んでみてください。

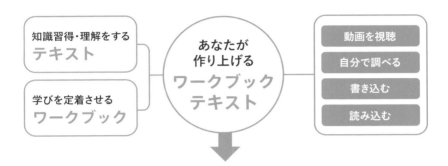

```
知識習得・理解をする
テキスト

学びを定着させる
ワークブック
```

```
あなたが
作り上げる
ワークブック
テキスト
```

```
動画を視聴
自分で調べる
書き込む
読み込む
```

確実に身に付く!!

調べる!

書き込む!

読み込む!

身に付く!

※ eラーニングの申込先…https://www.cogaku.co.jp

第1章

アジャイルのこと
知っていますか？

第1章 アジャイルのこと知っていますか?

　ゼロから学ぶアジャイル入門講座をお送りします。講師の阿部晋也です。1章「アジャイルのこと知っていますか?」としてお送りします。

　アジャイルという言葉を皆さん聞いたことがありますか?専門誌とかでは、アジャイルという言葉が結構使われ始めてきているんですけれども、1章ではまずこのアジャイルとは何かということについて皆さんと学習していきたいと思います。

私がわかりやすく
アジャイルを説明して
いきますよ。

阿部先生

この章のポイントです。「アジャイルとは何か」、「アジャイルで大切なことは何か」、「アジャイルの手法には何があるか」、という3点ですね、これを確認していただければと思います。

第1章のポイント

アジャイルとは何か

アジャイルで大切なことは何か

アジャイルの手法には何があるか

アジャイルの手法がビジネスに役立つ!?

1-1 アジャイルとは何か

　まず、アジャイルとは何かということなんですけれども、アジャイルというのはそもそも「俊敏な」だとか、「すばやい」というような意味合いがあります。

　元々はソフトウェア（いわゆるプログラム）の開発で流行ってきたような手法論なんですけれども、最近ではこのソフトウェアの開発以外にビジネスのところでもこのアジャイルという言葉が使われ始めているということなんです。

　アジャイルというのはそもそも何なんだということなんですけれども、例えば仕事のマインドの部分だとか、あとは仕事の進め方だとか、そういうところでアジャイルというようなものが使われているということなんですね。

　具体的にはどうすることなのかなんですけれども、短い開発期間を繰り返すことでリスクを最小化するというようなことが、アジャイルでは大切と言われています。この短い開発期間でということは、例えば何かビジネスのアイデアだとかプロダクトだとか何か作りたいといったところを企画して、それでデザインして開発して、それでテストする・評価するというところからリリースするというのを細かくやっていくわけです。短期間で何度も開発を繰り返してリリースするといったところがアジャイルの特徴となっています。

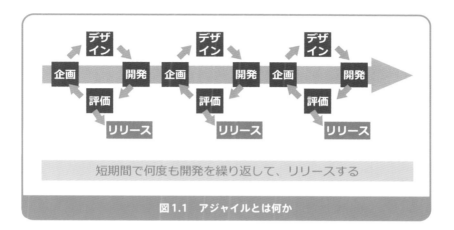

短期間で何度も開発を繰り返して、リリースする

図1.1　アジャイルとは何か

ビジネスに役立つアジャイルの考え方

アジャイルとは何か

このアジャイルが生まれた背景というのを図 1.2に 3点書きました
けれども、「(① 　　　　　　　　　　　)できる」ということですね。
企画があってそこから製品が出るまで 1年経ってしまうとなると、
その中で市場がもう既に変わっているよというところから生まれて
きているんですね。

　または「顧客のフィードバックを素早く得ることができる」という
ふうにありますけれども、ここも先ほどの短期間で短くを繰り返し
ていくというようなところを使って、中心となる機能を作ってそこ
から市場だとかユーザーの意見というのをまた取り入れて、それで
また更に反映させるというような手法なんですね。先ほどみたいに
1年経ってしまうと「いや、実はそうじゃなかった」というようなこと
を防ぐというところもあります。

　また、こうやって小さい機能を何度も作って製品として出してい
くわけですけれども、ムダな機能を作ることを防ぐことができます。
例えば、特に人気がでそうなところを先に作って投資をしていくと
いうことで、ムダな機能を作らずに（② 　　　　　　　　　　　）を高
めることができます。そういうような背景から、アジャイルの手法
というのがビジネスの方でも注目されています。

- **ビジネスの変化に対応できる**
  - 製品が市場に投入されるまでに、半年や1年経ってしまうと、すでに市場が動いてしまっている。
- **顧客のフィードバックを素早く得ることができる**
  - コアとなる機能を先に作ってしまい、市場やユーザーの意見を取り、さらに反映させる。
- **ムダな機能を作ることを防ぐことができる**
  - 人気がでそうな機能に対して、さらに投資を行うことで、ムダな機能を作らず、投資対効果を高めることができる。

アジャイルの手法がビジネスに注目されている！

図1.2 アジャイルが生まれた背景

MEMO

図1.3「開発工程の違いを考える」というところですけれども、従来のソフトウェア開発だったら図1.3の上のパターンで、ウォーターフォール型と呼ばれています。滝の流れのように順番に工程を行っていくというような形で、原則流れから逸脱しないということになっています。例えば、お客様からの要求があって企画をして、何かデザインする。デザインするというと具体的には、こういうアプリが必要だなとか、こういうような操作性がいいなっていうようなことを設計して、そこから実際にプロダクトを開発していきます。そこからテストしたり評価をして、リリースをしていくというような流れなんですが、（③　　　　　　　　　　　　　　　）が決まっているというこ とがウォーターフォールでは大事なんです。これがぶれてしまうと最終的にお客様のところに行ったときには「あれ？これ思ってたのと違うぞ？」ということにもなりかねないわけですね。だからウォーターフォールというのはこの順番にやっていくということで、大規模な開発には向いているんですけれども、最初の要求というのが大切になってくるわけです。

そこでアジャイル型というのはどうだとなってくると、反復しながら改善をしていくというような流れなんですね。リリースするというのがポイントになってきて、顧客のフィードバックというのをリリースしたところからまた拾って、それを品質向上に高めていくというような形になっています。なので従来のウォーターフォール型の工程とアジャイルの工程というのは全然違うものになっています。従来のウォーターフォール型では急な変化に対応することは難しいんですね。

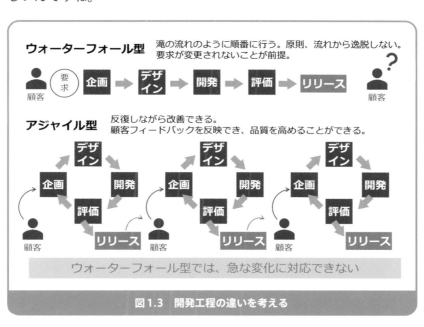

図1.3　開発工程の違いを考える

アジャイル宣言

　さて、アジャイル宣言というのが図1.4にありますけれども、アジャイルというのは短い間で単にこのサイクルを回せばいいよ、リリースすればいいよという手法ではないんです。短期間でやるということは、意外に難しいんです。例えばその短期間でどこまでの製品をやりますか、どの機能まで作りますかだとか、意外とその短期間でいろんな人が動いてやるということも結構難しかったりするんですね。

　大切なことは、価値だとかこの原則というのが、チームで(④　　　　　　　　　　　　)されていないと「やっぱりアジャイルうまくいかないね。ウォーターフォールの方に戻ろうか」というようなことにもやっぱりなってしまうんですね。

　そこで図1.4に書いてあるように、ソフトウェアの開発方法論者が中心となって、アジャイル宣言というのを提唱しているんです。これが今のアジャイルの基本的な考え方として公表されています。

> プロセスやツールよりも個人と対話を、
> 包括的なドキュメントよりも動くソフトウェアを、
> 契約交渉よりも顧客との協調を、
> 企画に従うことよりも変化への対応を、価値とする。

図1.4　アジャイル宣言（一部）

　「プロセスやツールよりも個人と対話を」、「包括的なドキュメントよりも動くソフトウェアを」、「契約交渉よりも顧客との協調を」、「企画に従うことよりも変化への対応を、価値とする」というふうに書いてありますね。「よりも」というのは、例えば包括的なドキュメントはいらないよと言っているわけではないんですね。動くソフトウェアの方が重要視されるよということなんです。なので、例えば、会社で設計書を書かなきゃいけないよね、Excelのフォーマットに入れなきゃいけないよねというような義務的なことじゃなくて、「このドキュメントは本当に作る価値があるんですか？」ということを考えてから動きましょうというようなことなんです。

　なので、間違ってもドキュメントが全く要らないだとか、ただ契約交渉がいらないというような意味合いではなくて、右の方を重要視するよというような意味合いになってます。ですから常にその（⑤　　　　　　　　　　　　　）とは何か考えて、その上で行動するというのが原則になっているわけなんですね。

ビジネスでは、動くサービスや製品が大事！

1-3 アジャイル開発手法

　アジャイルというのは考え方に近いところで、アジャイルを実現する手法というのは図1.5にあるようにいろんな手法があります。

- **■ エクストリームプログラミング（XP）**
  - ソフトウェア品質を向上させ、変化する顧客の要求に対応することを目的としたソフトウェア開発プロセス。
- **■ 機能駆動型開発（FDD）**
  - ユーザーにおける機能に対する価値を重視した開発手法。
- **■ スクラム**
  - チーム一丸となり、スプリントと呼ばれるイテレーション（開発サイクル）を反復しながら、開発を進める。

現在ではスクラムがアジャイルの主流

図1.5　アジャイルを実現する手法は、さまざま

　エクストリームプログラミングと呼ばれるものだとか、機能駆動型開発といって、ユーザーにおける機能に対する価値を重視した開発手法というようなものもあります。

　この書籍ではスクラムをご紹介していくんですけれども、チーム一丸となってスプリントと呼ばれるイテレーション（開発サイクル）を反復しながら開発を進めるような手法があります。現在のアジャイルの主流はもうスクラムが多いんじゃないかなというふうに思いますね。今まで取り組まれていないんだけれどもアジャイルこれからやっていくとなったところは、スクラムをやっていくチームが多いかなというふうに思います。

この章のまとめです。アジャイルとは何でしたか？短期間で何度も開発を繰り返してリリースをするというところでしたね。

　アジャイルで大切なことは何ですか？これは価値を共有するということですね。何かのツールを入れればいいという問題ではないですね。価値を常にチームで共有して行動していくというのが大切になってきます。

　また、アジャイルの手法には何があるかということですけれども、スクラムなどいろんな手法があります。これをまたチームで考えて選択をしていくというような形になります。

第1章のまとめ

アジャイルとは何か
短期間で何度も開発を繰り返して、リリースする。

アジャイルで大切なことは何か
価値は何かを常にチームで共有し、行動する。

アジャイルの手法には何があるか
スクラムなどたくさんの手法がある。

第2章

アジャイルの
背景にある考え方

第2章 アジャイルの背景にある考え方

　2章「アジャイルの背景にある考え方」をお送りします。

　この章のポイントです。「なぜ、アジャイルでは反復するのか」「反復に加えて、アジャイルで大切な3つの要素とは何か」、ここを考えていただきたいと思います。

第2章のポイント

なぜ、アジャイルでは反復するのか

反復に加えて、アジャイルで大切な3つの要素とは何か

2-1 アジャイル開発の特徴

　まず、アジャイルでは価値観の共有というのが大切だと1章でお話をしてきました。1章では、アジャイル宣言といったものもご紹介しましたけれどもこのアジャイル宣言と併せて、「アジャイル宣言の背後にある原則」というものも公開されています。

「アジャイル宣言の背後にある原則」とは
アジャイル宣言で表明されているマインドセットを実現するため
従うことが望ましい原則を述べたもの

「アジャイル宣言の背後にある原則」のポイント

| 反復する | 顧客と連携する | チームワークを重視する | 技術的に工夫する |

図2.1　アジャイル宣言の背後にある原則

アジャイル宣言で表明されているマインドセット（いわゆる考え方）を実現するため、従うことが望ましいと言われてる原則を述べたものがあります。結構長い文章なんですけれども、ここからちょっとポイントだけ抜き出したものが、図2.1にある4点です。もちろんアジャイルは反復するというのがポイントになりますので、「反復する」というのがあります。2つ目は「顧客と連携する」というところですね。3つ目は「チームワークを重視する」というところです。4つ目は「技術的に工夫する」というところにあります。この辺りを確認していきましょう。

2-2 反復する

　まず「反復する」というところなんですけれども、ここは例えば「アジャイルだから絶対こうです」というふうに決まっているわけではないです。ただ反復しましょうとは言ってるんですけど、1週間〜 1ヶ月単位ぐらいというふうに言われてます。例えばこれが絶対 1週間じゃないといけないだとか、1ヶ月じゃないといけないという決まりはありません。これはチームで決めればよいというようなものになるんですね。おおよそ1週間〜 1ヶ月単位というようなことです。

　また反復ごとに製品をリリースするというところもポイントで、例えばよく製造業だとかソフトウェア開発でもちょっとだけ動くデモ版みたいなものがあったりするかと思うんですけれども、そうではないんですね。製品として必ず動くものをリリースするというのがポイントになってくるわけなんですね。

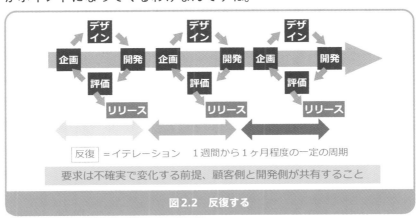

図2.2　反復する

ただ顧客側としても、例えばこれ作って！あれ作って！というような要求の出しっぱなしになってしまうとやっぱりそれはうまくいかないし、そういったところをうまくコントロールしながら、開発者の人はその顧客の（① 　　　　　　　　　　　　）をもらうところがポイントなんですね。なので最初の方にリリースして早く顧客のフィードバックをもらうというのがポイントです。それで次の開発の反復（イテレーション）のところで活かしていくというような形になります。

　顧客側も最初から要求がきちんと決まっているということにならないので、やっぱり要求は（② 　　　　　　　　　　　　）であるということが前提なんです。なので顧客側と開発側がそういったところをちゃんと共有していかないといけないということになります。だから単純に反復すればよいというわけではなくて、顧客側と開発側が協力しながらやっていくというのがポイントになるんですね。

2-3 顧客と連携する

　図2.3がその「顧客と連携する」というところです。顧客と連携して顧客のビジネスを成功へ導く製品を作っていくというようなことになります。反復するごとに製品を顧客がレビューしていくというような形になります。顧客もその取り巻く状況は変わってきますので製品に対する要求というのも変わっていきます。反復ごとに必ず軌道修正していくというのがポイントですね。「これもう軌道修正できませんよ」というのは、あまりアジャイルっぽくはないですね。

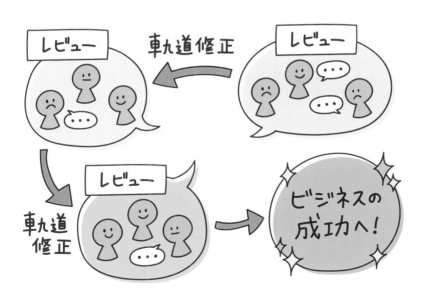

また要求の本質を見抜き、変更を（③　　　　　　　　　　　　　）に捉えるということ。なかなか開発側は（私も開発やっていますけれども）、変更があるとちょっと嫌だなと思う人もいるかもしれないんですけれども、やっぱりそれは最終的にお客さんのためでもあるし自分たちのためでもあるということで前向きに捉えるということが大切になってきます。改善に繋がる要求であれば大歓迎というような形で新しい価値との出会いになるということになるんですね。価値があるかどうかというのが結構ポイントで、価値がある変更であれば受け入れるということで、顧客に言われるまま何かやるよというわけではないです。

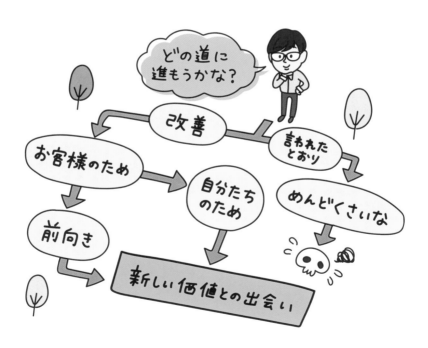

その価値は何かということを常に考えていくと顧客と開発者が共通の目標に向かって働くということになってくるんですけども、その双方向のコミュニケーションというのが大切になってきます。なので、顧客から言われること全部やるということではないんですね。

顧客と連携する

- **顧客と連携して顧客のビジネスを成功へ導く製品を作る**

  - 反復するごとに製品を顧客がレビューする。
  - 顧客を取り巻く状況が変わる。製品に対する要求も変化。
  - 反復ごとに、前の反復で作成した製品へのレビューや
    顧客の状況変化に基づき、開発を軌道修正。

- **要求の本質を見抜き、変更を前向きに捉える**

  - 改善に繋がる要求は、新しい価値との出会い。
  - 価値があるのであれば、変更を受け入れる。
    顧客に言われるまま受け入れることではない。

- **顧客と開発者が共通の目標に向かって働く**

  - 双方向のコミュニケーションが大切。

図2.3　顧客と連携する

2-4 チームワークを重視する

　自律性ということは結構難しいですけれども要するに指示が与えられてメンバーが何かタスクを実行するという動き方は、アジャイルのチームではしないですよね。開発者同士が「僕はこれやるよ」「私はこれやるよ」みたいな形でいろいろどんどん投げかけて、企画だとかタスクの割り当てだとか実行というのをやっていく、そういうようなスタイルの方にしていかないといけないということなんですね。

　図2.4「コミュニケーションは直接対話で」。皆さんも電子メールとか使ってませんか？私は電子メールもうやめたいなと思っているんですけども、電子メールでCCに付け忘れられてたからその情報もらえてないよということはありませんか？そういうようなことを結構聞くんですけれども、電子メールというのは対話よりも非効率ですよ、それだったら直接話した方がいいですよ、というようなことも大切な要素として挙げられます。顧客と開発者というのは、仕草だとか表情からも言葉にならない本心を感じ取るということも大切になってきますね。

そういうようなチームの作り方というのを踏まえた上でメンバーの（④　　　　　　　　　　　　　）を尊重して、開発者のモチベーションを上げていくというような形なんですね。自分のタスクだけではなくて顧客の価値創造のために何ができるかということをお互いに協調して、個人の誰が悪いというふうには持っていかずに、チームでやるというマインドが大切ということです。

- **■ メンバーの自律性を尊重する**
  - 企画やタスクの割り当てを行い、指示に基づいて、
    メンバーがタスクを実行するのではなく、
    開発者同士の対話で企画やタスクの割り当てを決める。

- **■ コミュニケーションは直接対話で**
  - 双方向の対話を心がける。電子メールは対話よりも非効率。
  - 顧客と開発者は、しぐさや表情などから
    言葉にならない本心を感じ取る。

- **■ 自律性を尊重することで開発者のモチベーションを上げる**
  - 自分のタスクだけではなく、顧客の価値創造のため、
    何ができるか、お互いに協調し、個人の責任にしない。

図2.4　チームワークを重視する

2-5 ▶ 技術的に工夫する

　図2.5「技術的に工夫する」というところで、「顧客の要求に対する変更コストをなるべく抑える」ということなんですが、技術的な工夫ということを今は IT技術が優れていますので探せば便利なツールというのは出てくるんですね。なので、技術的な工夫をすることで、例えば変更によるエラーが起きてしまったということを自動的に検出したりだとか、変更が広範囲に及ばないようにしてくるだとか、そういうような技術的に工夫することはどんどんやりましょうということです。

　キーワードとして例えばテスト駆動開発だとか、継続的インテグレーションという言葉がありますけれども、これはちょっと技術的な用語ですね。ソフトウェア開発だとか製造の方も組み込みとかでそういうのを使われるかもしれませんが、テスト駆動開発というのは開発する前にいろいろテストの項目を考えておきましょう、検証内容とかデータとか揃えておいてから開発をやりましょうというような考え方ですね。また、継続的インテグレーションというのは、開発中の変更内容とかがあったときにそれをバージョン管理ツールのようなツールを使って管理して実行だとかテストを自動化するというような考え方が継続的インテグレーションというふうに呼ばれるものですね。今までは結構そのあたり面倒だったのが、全部自動化されています。

　これは一つの例えですけれども、こういうような自動化の話とか技術的な工夫をして素早く変更に応えていきましょうというようなこともやっていかなければいけません。そのためには、（⑤　　　　　　　　　　　　　）を学んで、効果的な技術というのは製品に適応していくというのが大切になってくるわけなんですね。常に変更点をチェックして、面倒な作業は自動化しましょうということです。また問題をすぐに発見できる仕組みを取り入れる必要があるということです。

　この「変わっていく」ということに対して、変わりたくないよという人が会社の中でやっぱり若干います。だけど、このアジャイルのやり方を進めていく上では、顧客側も開発者側も、この「変化することに価値があるんだ」ということを理解していただく必要があります。

■ **顧客の要求に対する変更コストをなるべく抑える**

- 技術的な工夫で、変更によるエラーを検知したり、変更が広範囲に及ばないようにする。
- テスト駆動開発（開発する前に予めチェックする項目や検証内容・データを揃えておく）
- 継続的インテグレーション（開発中の変更内容を管理し、実行やテストを自動化することで迅速に開発する）

■ **常に最新技術を学び、効果的な技術は製品に適用**

- 常に変更点をチェックし、面倒な作業は自動化する。また、問題をすぐに発見できる仕組みを取り入れる。
- 顧客や開発者は「変化」に価値があることを理解する。

図2.5　技術的に工夫する

この章のまとめです。なぜ、アジャイルでは反復するんでしたか？これは顧客フィードバックをもらって、プロダクトをより良いものにしていくというところがポイントですね。そのためにフィードバックを最初のうちから貰っていくというのがポイントになります。

　また反復に加えて、アジャイルで大切な3つの要素は何でしたか？というと、顧客との連携、チームワーク重視、技術的に工夫する、というところがポイントになります。

第2章のまとめ

なぜ、アジャイルでは反復するのか
顧客フィードバックを早くもらい、
プロダクトをより良いものにするから。

反復に加えて、アジャイルで大切な3つの要素とは何か
顧客と連携する、チームワークを重視する、技術的に工夫する。

第**3**章

自分の組織を考えよう

自分の組織を考えよう

第3章

　3章「自分の組織を考えよう」をお送りします。

　この章のポイントです。「ピラミッド型とアジャイル型は何が違うか」、組織論の話ですね。「アジャイル型に大切な要素は何か」、「プロダクトオーナーとスクラムマスターは何が違うか」というところですね。ここではアジャイルでの組織の違いについてと、アジャイルの手法論のスクラムというところについて触れていきたいと思います。

第3章のポイント

ピラミッド型とアジャイル型は何が違うか

アジャイル型に大切な要素は何か

プロダクトオーナーとスクラムマスターは何が違うか

3-1 「自律的に動く」 ということを考える

　まず、「自律的に動く」ということを考える」ということなんですけれども、会社組織はまだまだ日本型組織と言われているところがありますが、やはり組織マネジメントについては変わってきています。

　「言うは易し行うは難し」で、言うのは簡単なんだけど実行するのは難しいよということですよね。例えばアジャイルをやろうと思ってもなかなか組織のルールが作られていなかったり、トップのお墨付きがないとアジャイルを実行するのは結構難しいです。今回の書籍で興味を持っていただいてアジャイルやらなきゃいけないなと思われている方もいらっしゃるかと思うんですが、やはりトップの理解というのは必要になってきます。

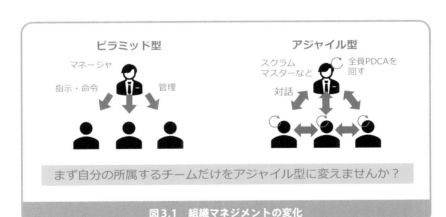

図3.1　組織マネジメントの変化

ピラミッド型からアジャイル型に移行するということで自律的に動くようになってくると変化に強い組織になるということなんですが、その「自律的に動く」ということは何かということなんですけれども、ピラミッド型というのはマネージャーを中心に各メンバーに指示命令を与えて、できたかどうかを例えば数字で管理する。この月の数字の売上の報告出してくれというような形で数字で管理していくというようなところがピラミッド型なんですね。いわゆる報告・連絡・相談というところが重要視されてくるということになります。

　アジャイル型は、マネージャーのあり方というのもこの従来の組織とは違っている形で、スクラムマスターの話だとかも後でまた登場しますけれども、（①　　　　　　　　　　　　　）であり、それぞれのメンバーがPDCAを回していくといったところが違うということなんです。

　なので指示命令されて動くということではなくて対話の中から動き方を見いだしていくというような形です。いきなり組織全体としてアジャイルの組織に変えようということは難しいので、例えば図3.1下の方に書いてありますけれども、まず皆さんの所属するチームだけアジャイル型に変えて、パイロット的にやってみるというのが最初かなというふうに思います。

ピラミッド型組織と
　　　　アジャイル型組織は何が違うのか

　三角形のヒエラルキーか責任をチームで取るかと図3.2に書いてあ
りますけども、ヒエラルキーということは階層ですね。いわゆるトッ
プダウンでいろいろとマネージャーから下に降りていくというような
考え方、階層組織のことをヒエラルキーというふうに呼んでいますけ
れども、このピラミッド型の場合というのは本当にもう官僚的で上の
命令は絶対的というような形ですね。官僚的になってくるとどうなる
かというと、思考が停止してしまってもう余計なことはしない。組織
で生き抜くためには余計なことはしないというような人たちになって
しまうわけです。また、（②　　　　　　　　　　　　）といって孤立する
チームも出てくるわけです。あそこの部署は何やっているかわからな
いと、そういうようなチームというのも出てくるわけなんですね。な
ので指示というのは上から下への一方通行であり、部下というのはマ
ネージャーの指示を実行すれば良いというような形になります。

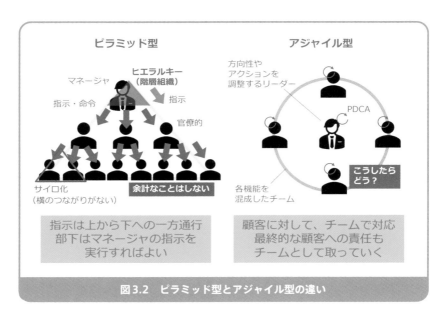

ピラミッド型

ヒエラルキー
（階層組織）

マネージャ

指示・命令　　　　指示

官僚的

サイロ化
（横のつながりがない）　余計なことはしない

指示は上から下への一方通行
部下はマネージャの指示を
実行すればよい

アジャイル型

方向性や
アクションを
調整するリーダー

PDCA

こうしたら
どう？

各機能を
混成したチーム

顧客に対して、チームで対応
最終的な顧客への責任も
チームとして取っていく

図3.2　ピラミッド型とアジャイル型の違い

　ただアジャイル型はもう全然違っていて、例えば職能別にいろいろとわかれているようなチームではなくて、いろんな機能を持っている混成したチームをアジャイルのチームとして作るというのがポイントなんですよ。例えばデザイナーさんもいるし、開発のメンバーもいるし、テストに優れた人もいるだとか、そういうようないろんな機能を混成したチームが一丸となって、リーダー中心に皆さんでPDCA回して、「これみんなだったらどうやってやる？」という形でやっていくのがアジャイル型のチームなんですね。顧客に対して誰が悪いというわけではなくて、チームでできなかったよねとチームで対応していく。最終的な顧客への責任というのも、チームで取っていくといったところがポイントとなります。

ピラミッド型とアジャイル型の組織の違いについて表3.1でまとめてあります。

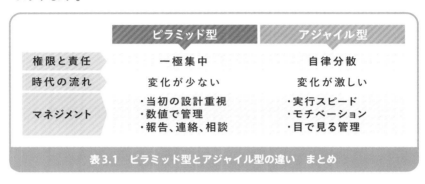

	ピラミッド型	アジャイル型
権限と責任	一極集中	自律分散
時代の流れ	変化が少ない	変化が激しい
マネジメント	・当初の設計重視 ・数値で管理 ・報告、連絡、相談	・実行スピード ・モチベーション ・目で見る管理

表3.1　ピラミッド型とアジャイル型の違い　まとめ

　権限と責任のところは、ピラミッド型は（③　　　　　　　　　）、アジャイル型は（④　　　　　　　　　）となります。変化が少ない場合にはピラミッド型でやれていたかもしれませんけれども、変化が激しくなると、それぞれの人、メンバーが考えなきゃいけないというところがやっぱり出てくるんですね。なのでアジャイル型の方が変化に対応できるということです。

　マネジメントのところでも、報告・連絡・相談というのが基本で当初の設計重視で数値で管理していくというのがピラミッド型になるわけです。アジャイル型というのはそれぞれが考えていくというところ、実行スピードが大事になってくるのでモチベーションも大事ですし、「目で見る管理」と図3.3に書いてますけども、これはトヨタの生産方式とかでよく出てくる話なんですが、目で見る管理というのは異常が発生したときに誰でもすぐにわかるようにする仕組みということが目で見る管理なんですね。

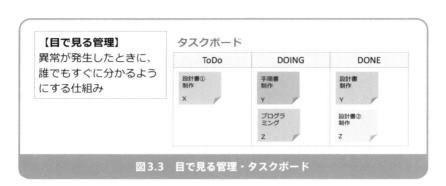

【目で見る管理】 異常が発生したときに、誰でもすぐに分かるようにする仕組み	タスクボード		
	ToDo	DOING	DONE
	設計書① 制作 X	手順書 制作 Y	設計書 制作 Y
		プログラ ミング Z	設計書② 制作 Z

図3.3　目で見る管理・タスクボード

　報告とか連絡とか相談というのを例えば書類（報告書や日報）で行ってると、やっぱりちょっと言葉が変換されてしまったりしますよね。うまく書く人もいるかもしれませんけど、変換されると違うように伝わるかもしれない。例えば、図3.3にあるタスクボードみたいなやり方でToDoとかDOINGとかDONEとかこういうところに例えば付箋だとかオンラインの付箋ツールとかを使って今どういうことが行われてるのかを見えるようにしていくと、「あの人がちょっとタスク抱えすぎてるよね」、「僕それやるよ」とか、そういうような声掛けも同じそのボードを見ることで実現できる。こういったところも、アジャイルには大切になってくるということです。

3-3 アジャイル型組織の具体例

　アジャイル型の組織の具体例ということで、スクラムについてこの書籍ではご紹介していきます。

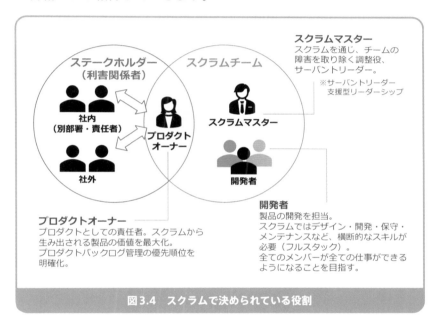

図3.4　スクラムで決められている役割

　ステークホルダー（利害関係者）とスクラムチームとに分けることができます。ステークホルダー・利害関係者は社内の場合もありますし、もちろん社外の顧客という場合もあります。なので、この辺りを「顧客」という言い方をしていきます。

スクラムチームが開発をしていく全体ということですけれども、ステークホルダーといろいろと連携していく役割がプロダクトオーナー（プロダクトとしての責任者）というふうに呼ばれています。スクラムのチームから生み出されるそのプロダクトの価値を最大化していく役目になりますね。プロダクトバックログというような優先順位をつけた表みたいなものを管理していくのもプロダクトオーナーになります。

あとは開発者ですね。製品の開発を担当するということで先ほどチームではいろんな能力を持っているメンバーが集まるよというお話をしてきました。デザインだとか開発だとか保守とかメンテナンスだとか、横断的なスキルを持っている必要性があります。だから最終的には全部できた方（フルスタック）がいいです。メンバーとしてのあるべき姿としてね。全部いろいろできるんだけど今日は開発やるよ、今日は保守やるよというのが望ましい姿です。全てのメンバーが全ての仕事をできるようになるというのが目指すべきところになります。

そのスクラムチームを取りまとめるリーダー的な存在がスクラムマスターと呼ばれているものです。チームの障害を取り除く調整役であり、サーバントリーダーとありますがこれは通常のリーダーシップではなくて支援型のリーダーシップということで、いろんな対話だとか言うことをちゃんと聞くだとかそういう指示命令をするっていうことではなくて、支援していくというようなリーダーシップのことを言っていますね。こういうような役割がスクラムにはあります。

　このスクラムマスターが担うことになるんですけどもアジャイルコーチというような存在が非常に重要で、メンバーを俯瞰して必要な教育だとかメンタリングを行ってメンバーの機動力を向上させるということが大切になってきます。コーチングに近いかなということですけれども、やはりスクラムチームというのはいろいろ障害も生まれてきますのでそういったところを支援して解決していくというのがアジャイルコーチには求められるということになりますね。
　人は初めからスーパーマンではなく、人で構成されているということを忘れないで対話していくことが大切になってきます。
　将来に向けての人材育成だとか日々の問題解決とか、幅広い視点というのも必要になってくるところですね。

従来のリーダーシップというのは、やっぱり指示をするという形になりますけどもそうではなくて、メンバーから引き出すということが大切になってくるということです。

　全員が（⑤　　　　　　　　　　　　）で動くということを忘れないで、誰が悪いわけではないですよということでチームで次にどうするべきか考えていくというファシリテーション、円滑に進める能力というのがアジャイルコーチに求められてくるということになりますね。

■ **アジャイルコーチ（スクラムマスターが担う）**

- メンバーを俯瞰して、メンバーに必要な教育や
  メンタリングを行い、メンバーの機動力を向上させる。
- 人は初めからスーパーマンではない、
  人で構成されていることを忘れない。
- 将来に向けての人材育成や日々の問題解決など
  幅広い視点が必要。

指示するのではなく、引き出す

全員がチームで動くということを忘れない

誰かのせいにするのではなく、チームで次にどうするべきか考える

図3.5　アジャイルコーチの重要性

この章のまとめです。ピラミッド型とアジャイル型は何が違うか？ピラミッド型はマネージャーからの指示で動くのに対して、アジャイル型は全員でPDCAを回していく、自律的に動くということが必要になります。

　アジャイル型に大切な要素は何ですか？実行スピード、早くやる、モチベーション、目で見る管理など自律的に動くための工夫というのが必要です。

　プロダクトオーナーとスクラムマスターは何が違うんですか？プロダクトオーナーは顧客との調整役、スクラムマスターはチームの調整役ということになります。スクラムはまた出てきますのでぜひ覚えておいてください。

第3章のまとめ

ピラミッド型とアジャイル型は何が違うか
ピラミッド型はマネージャからの指示で動くのに対し
アジャイル型は全員PDCAを回し、自律的に動く。

アジャイル型に大切な要素は何か
実行スピード、モチベーション、目で見る管理など
自律的に動くための工夫が必要。

プロダクトオーナーとスクラムマスターは何が違うか
プロダクトオーナーは顧客との調整役、
スクラムマスターはチームの調整役。

第4章

俊敏に動くための
考え方を理解しよう

俊敏に動くための考え方を理解しよう

第4章「俊敏に動くための考え方を理解しよう」についてお送りします。

この章のポイントです。「アジャイルの「俊敏さ」に加え、さらにどのような要素が必要か」、「発想を切り替えるためのポイントには何があるか」、この辺りを確認していきましょう。

第4章のポイント

> アジャイルの「俊敏さ」に加え、
> さらにどのような要素が必要か

> 発想を切り替えるためのポイントには何があるか

4-1 組織の俊敏性をチェックする 10大要素

　まず「俊敏に動くとは何か」について確認していきます。ある資料によると、俊敏に動くためにはどうするかというアンケート・調査があるわけですけれども（表4.1）、成功している組織はより高いレベルの組織の俊敏性があるということが言われてます。競争で強力な（①　　　　　　　　　　　　　　）をもたらすということです。

素早い応答	75%
短サイクル	64%
変更管理	59%
顧客の声を聞く	54%
リスク管理	53%
多様なチーム	53%
サイロ化防止	53%
非常事対策	51%
反復プロセス	50%
技術の活用	46%

出典：PMI Pulse of the Profession In-Depth Report: Organizational Agility, 2012

表4.1　組織の俊敏性をチェックする10大要素

3章のところでも実行スピードがアジャイルで大事だというお話をしてきましたが、例えば表4.1「素早い応答」というのは75%挙がるぐらいで、やはり今成功している組織はこういうようなことを持っているということなんですね。

　また「短サイクル」というところも結構高い数値になっています。やはり実行スピードといったところが大切になってくるんですが、例えば私達が組織で働いてる中でやっぱりいろんな障害があるんですね。例えば自分でこうやって思ってもなかなかうまくいかないだとか、いろんな組織のルールがあってうまくいかないだとかというのが結構あるんですよね。そこがチームでアジャイルをやっていく最初のところで壁になってきて、その壁を乗り越えて次に行けるかというようなことになってくるんですね。

■ **ビジネスにおける「俊敏さ」とは**

- 突然の出来事や変化においても、メンバーが自ら考え、最適な判断を下すこと。

■ **皆さまの組織は「俊敏さ」がありますか？**

- 組織における将来のビジョン、顧客に対する価値は明確か？
- 社会の中で自社がどのポジションにあるのか把握しているか？
- 時代の流れに合わせて、柔軟な発想力があり、応用できるか？
- スクラムマスターになるような人材が社内に多いか？

俊敏さ＝単なる「速さ」ではなく、正確な判断ができるかも重要

図4.1　俊敏性を増大させるためには

図4.1、「ビジネスにおける「俊敏さ」とは」何ですかということですが、突然の出来事や変化においても、メンバーが自ら考え、最適な判断を下すこと、となっています。これはマネジメントのお話になってくるんですけども、指示を出しすぎると思考が止まってしまうんですね。指示を出しすぎると考えなくなっちゃう。考えなくなって、自分から何か考えて次に動かすという行動もできなくなってしまうんですね。3章のピラミッド型組織の話のように報告・連絡・相談、「報告しろ！俺に報告しなくて勝手にやるな！」みたいな感じになってしまうと、やっぱりだんだん「報告次にしなきゃ…」っていうようなことでスピードが遅くなってしまうんですね。

図4.1、「皆様の組織は「俊敏さ」がありますか？」ですけども、組織におけるその将来のビジョンとか顧客に対する価値とは何ですかということをお話してない組織の方もいらっしゃって、ビジョンは掲げているんだけどそのビジョンについて1回語り合って、その価値って何だろうということがちゃんと腹に落ちてるかどうかということをやってない組織も結構多いかなと思います。社会の中で自社がどのポジションにあるのかを把握しているか？これも大事ですよね。例えばこれから自社はどこに向かっていくのかというようなところも、共有する必要があります。

　時代の流れに合わせて、柔軟な発想力があり、応用できるか？というのもポイントで、イマジネーション・発想力、これは非常に大切で、そういったところを働かせて、じゃあ次これやらなきゃいけないよねということを考えられるかどうか、そういう人材が多いかどうかというのがポイントになってきます。

　それで、スクラムマスターというのは要するにスクラムチームを束ねるリーダー役ですけれども、そのスクラムマスターになれるような人材が社内に多いかどうかというのもポイントになってきます。

　ですからこれを踏まえて、「俊敏さ」というのは単なる速いというわけじゃなくて、いろいろ価値とかもちゃんと考えて正確な判断（正確というのは価値の判断とか発想とかも含めて）ができるかどうかというのが大切になっていきます。

4-2 俊敏な開発には 発想の切り替えが必要

　発想を切り替えるためのポイントですけれども、やっぱり今まで こうやってきたからこうだよねという考え方だとなかなか変わらな いですね。例えばアジャイルでは価値が大事だとお話をしてきまし たので、お客様・我々にとっての価値と照らし合わせるとこの設計 書はもうちょっと簡略化しても大丈夫だよねだとか、Excelで書式と か合わせるのとか要らないよねだとか、価値としてどうかというこ とを考えるところが大事になってくるわけです。ですから開発フロー の今までのその（②　　　　　　　　　　　）を疑うというのが必要に なってきます。

■ **開発フローの「常識」を疑うこと**

- **少しずつ作って、確かめる。**
  少しずつリリースして、顧客フィードバックを確認する。

- **作らないで、利用する。パラメータを変更して、構築する。**
  何でも1から構築しようとすることが、果たして顧客に
  価値をもたらすのか？

- **まずは7割でリリース、後は顧客フィードバックを得ながら、
  共同作業で100%に仕上げる。**
  欲張らないという意味で、不完全なものを出す意味ではない。

アジャイルでは、いままでの基準を見直す必要もでてくる

図4.2　発想を切り替えるためのポイント(1)

図4.2に「少しずつ作って、確かめる」とありますけれども、例えば設計書作ってもう何度も何度もテストして、そこから製品を出すというようなことで1年がかりですという形じゃなくて、まずこの部分だけ製品化しようというようなことで少しずつ作って確かめることができるかどうかですね。これも大切です。

　「作らないで、利用する。パラメータを変更して、構築する。」というのはちょっと抽象的でわかりづらいかもしれませんが、例えば今まで何でも自社で全部作っていたんだけど、そうではなくていろんな会社さんがもう既に作っている、その作っているものを（③　　　　　　　　　　　　　　）て何かできないかというようなことですね。私はソフトウェアの開発出身ですから、例えば最近だったらクラウドの技術を使って何か組み合わせていくということをやっているわけですね。例えばパラメータというちょっとだけ設定値を変更すれば構築ができるよというものもどんどん積極的に利用しましょうということです。何でも1から構築することが価値をもたらしますか？ということです。

「まずは7割でリリース、後は顧客フィードバックを得ながら、共同作業で100%に仕上げる。」とは、これは「欲張らないで！」という意味です。決して動かないものをリリースするというわけではないです。7割しか完成してなくて製品としては動かないというわけではなくて、あくまでも機能としては欲張らないでリリースしていくということです。顧客フィードバックを得ながら、100%に近いものに仕上げていく。こういうような今までのやり方とはちょっと違うようなやり方・考え方をやらないと、アジャイルは進んでいかない。

　皆さん、ツールが最初じゃないですよ？何かのツールを入れればOKというような話ではなくて、そういう価値観だとか考え方・マインドセットがあってこそ、ツールをどうしようかという話になってくるわけです。ですからアジャイルを適用するときには今までの基準を見直す必要性も出てきます。

　発想を切り替えるポイント2番目（図4.3）ですけれども、「組織全体、メンバー全体のスキルアップが必要」、つまりフルスタック化が必要です。スクラムのメンバーは、基本的にはどのメンバーでも一通りのことができるというのが望ましいです。なかなか最初からは難しいんですけれど、極力全体いろんなことができる人材が揃っていて問題解決能力が高いというのが望ましい姿です。なのでマルチタレント化だとか、フルスタックが必要というふうに言われています。

- ■ **組織全体、メンバー全体のスキルアップが必要**
  - ・ 問題解決能力、マルチタレント化（フルスタック）が必要。

- ■ **任せることができるか、任せられることができるか**

  - ・ <u>**ビジョンや価値を共有し、具体的な行動はメンバーが行う。**</u>
    大きな方向性を共有したら、後は任せるということが
    アジャイルのやり方。権限の委譲も大切。

  - ・ <u>**失敗を次に活かし、チャレンジさせることが重要。**</u>
    ノウハウを作ることが大切。失敗なくして成長なし。

アジャイルは人が重視される。プロセスではなく、文化だ！

図4.3　発想を切り替えるためのポイント（2）

また、「任せることができるか、任せられることができるか」というちょっとまた難しい言葉ですけど、任せることができるかというのはリーダーですね。リーダーが今まで指示を出して「こういうことをやってくれ」というふうにやっているんだけども、それを委任するわけですね。「任せたよ」というふうにする。あとは任せられるかということは、さらにそれで信頼を出すというようなことですよね。そこまでできるかどうかというのはポイントです。そのためには、やっぱりリーダー、スクラムマスターであっても、メンバーであっても、ビジョンや価値を共有していかなければいけない。具体的な行動というのは、メンバー自体が行っていくというような形なんですね。

　なので大きい方向性を共有したらあとは（④　　　　　　　　　　）というのが基本的なアジャイルのやり方ということです。権限の委譲というのも大切です。そうすると、任せることが怖いわけです。失敗したらどうしよう。失敗するかもしれないんですけど、やっぱりチャレンジさせていくということが大事になってくるので、任せ方が悪かったんだねということもあるかもしれないし、何かツールが悪かったねということもあるかもしれない。いろんな（⑤　　　　　　　　　　）を作って、チーム自体が成長していくということをやっていかないといけないんですね。失敗なくして成長なしということです。

　アジャイルというのは人が重視されるので、プロセスではなくて文化、文化論に近いんですね。こうやってやればいいというような教科書的なものじゃなくて文化論に近いということです。

　この章のまとめです。アジャイルの「俊敏さ」に加え、さらにどのような要素が必要か？これはビジョンや価値の共有、ポジションの明確化、柔軟な発想力などが必要です。

　発想を切り替えるためのポイントには何があるか？常識を疑うこと、今までのやり方というのを変えましょうということ。価値は何か？今までの常識というのは価値を出していたんですか？というところを問うてほしいと思います。

　また、マルチタレント化と任せていくことというのが大切になってきますね。メンバーの能力を高めて任せるということが大切になってきます。

第4章のまとめ

アジャイルの「俊敏さ」に加え、さらにどのような要素が必要か
ビジョンや価値の共有、ポジションの明確化、柔軟な発想力など。

発想を切り替えるためのポイントには何があるか
常識を疑うこと、いままでの常識は価値を出していたか？
マルチタレント化と任せていくこと。

第5章

アジャイルで最も
使われているスクラム

アジャイルで最も
使われているスクラム

第5章

5章「アジャイルで最も使われているスクラム」をお送りします。

この章のポイントです。「スクラムの一連の工程には何があるか」、「タスクボードやKPTボードはどのような場面で登場するか」、ここを押さえてください。

さあ！
アジャイルに関する
難しい言葉が
たくさん出てきますよ。

第5章のポイント

> スクラムの一連の工程には何があるか

> タスクボードやKPTボードはどのような場面で登場するか

5-1 スクラムとは

　まずスクラムですけれども、スクラムというのはアジャイルの手法になります。それで、スクラムガイドというのが公表されていて、それがポイントになっているんです。ただスクラムガイドというのは、フレームワークであって例えば絶対にこれをやりなさいというふうに書いているものではないんですね。あくまでも、それを基にしてチームで工夫していろいろやっていくといったところになってきます。

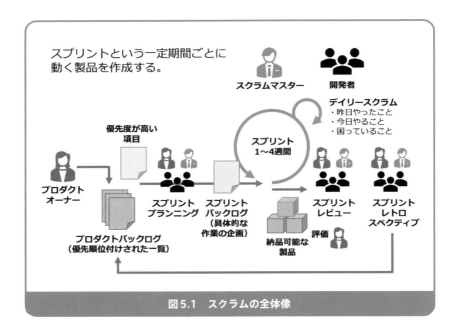

図5.1　スクラムの全体像

前の章のところでプロダクトオーナーとスクラムマスター、あと
は開発者についてご紹介していきましたね。プロダクトオーナーと
いうのは顧客との折衝役になるわけですけども、プロダクトバック
ログと呼ばれる仕事の一覧表みたいなもの、優先順位付けされた一
覧というのがあって、そこから優先度が高い仕事を見いだしていく
というのがスプリントプランニングと呼ばれています。

　スプリントプランニングでさらに具体的なスプリントバックログ、
具体的な作業の企画を作っていきます。このスプリントバックログ
のところに具体的なやることが書いてあって、それをスプリントと
して1〜4週間ぐらい回していくというような形になります。

　その中でデイリースクラムとして、昨日やったことだとか、今日
やることだとか、今困ってることというのを毎日話し合いをして、
それでプロダクトとして出していく。納品可能な製品として出して
いくわけですね。これをスプリントレビューと呼んでいます。

　ここまでが一つの流れとなっていて、スプリントが終わったらス
プリントレトロスペクティブと呼ばれる振り返りの時間です。簡単
に言えば振り返りの時間をやって、次のスプリントに活かしていく
ということ。こういうような流れになっているのが、スクラムの全
体像となります。

5-2 ▶ プロダクトバックログ

　プロダクトバックログというのは、製品へ追加する顧客の要求のリストというようなものになります。例えばいろんなツールもあるしExcelで書くというところもあるんですけども、優先度が高いだとか中ぐらいだとか低いというのがあって、それぞれの機能、顧客の要求というのを優先順位順に記述したものとなります。このプロダクトバックログの管理者はプロダクトオーナーが責任を持ってやります。

　それで、（①　　　　　　　　　　　　）で書いてある必要性があります。これは単なる企画じゃなくて、要するに価値だとかビジネスにちゃんと繋がっているかどうかがポイントなので、アイデアのリストではないんですね。アイデアリストではなくて、これは必要になってくるだろうとかこれは他と共通化が図れるからだとか他のシステムとの連携というのも確認していかなければいけないものになります。こういうようなリストがプロダクトバックログと呼ばれているものです。これをまず最初に作っていくんですね。

■ プロダクトバックログ

- プロダクトオーナーが顧客のニーズからシステムの要件や機能などを優先順位順に記述したもの。
- プロダクトオーナーは、プロダクトバックログの管理者。
- 顧客の分かる言葉で書かれている必要がある。
- 単なる企画とは異なる。顧客にとっての価値やビジネス、製品としての共通部分などバランスが重要。

**プロダクト
バックログの例**

優先度：高	PB1：日々の売上を登録できる。
優先度：高	PB2：日々の売上を部門ごとに集計できる。
優先度：中	PB3：管理職は単価マスタを修正できる。
優先度：中	PB4：管理職は仕入を承認できる。
優先度：低	PB5：他店との比較を行うことができる。

図 5.2　プロダクトバックログ

MEMO

5-3 スプリントプランニング

　プロダクトバックログからスプリントプランニングの期間を経て、今回やっていくその1〜4週間の期間のスプリントでやることのリストを出していく。これがスプリントバックログと呼ばれているものになります。

■ プロダクトバックログから今回のスプリントのバックログを設定

- 顧客の価値や過去の開発実績（実現可能性）を総合的に判断し、優先順位のどこまで入れるかを決める。
- 開発チームが企画を詳細化し、タスクに分割する。
- 通常2〜8時間程度でタスクを見積り、1人1つのタスクを担当。

図5.3　スプリントバックログ

顧客の価値だとか、あとは今までの開発実績だとかから実現可能性というのも考えて、（②　　　　　　　　　　　　　）のどこまでやるか、例えば図5.3だとPB1だけやるというようなことを決めていくわけです。

　それから、プロダクトバックログから一つ取ってきたら、スプリントバックログとしてタスクに分解していきます。2時間から8時間程度、これも決まっているわけではないですけれど、1人1つのタスクというのを例えば付箋に書き出したりだとか、あとはオンライン上のボードを使って管理してやっていきます。その作業がスプリントプランニングと呼ばれるものですね。このスプリントバックログというものを作成します。

5-4 スプリント内の作業

　それで、あとはタスクをそれぞれのメンバーが持っている状態になりますので、実際にスプリント内の作業というのは、いろいろそれを「多能工」と図5.4に書いてありますけども、要求の確認だとかデザインだとか開発だとかテストというのをそれぞれができるということが望ましいですね。「ちょっと今手が空いたからそのテストやるよ！」みたいな形でやっていくというのがポイントです。

　テスト駆動でテストの設計だとかパターンを先に作って、そこから例えば最初はうまく動かないんですけれども（それはそうですね、まだできてないですから）、シンプルなところだけ作って成功させるだとか、とりあえず外見だけ作ってあとでリファクタリング（改善）をしていくだとか、そういうことをやっていくというのがスプリント内の作業となりますね。

　メンバー全員がやって、「よし、手が空いたからそれやるよ！」と言える空気感を作るのがすごく大変ですね。だからチームとして盛り上がっていないといけないとなります。

■ **要求確認・デザイン・開発・テストなど幅広い作業の集合体**

- 開発メンバーが得意分野を持ちつつ、多能工となる。
- テスト駆動に基づくことが基本。
  まず、テスト設計・テストパターンを作り、現時点で失敗させ、
  次に最もシンプルな開発を行い、成功することを確認する。
- その上で中身の改善（リファクタリング）を行い、さらに
  テストが成功することを確認する。

図5.4　スプリント内の作業

5 - 5 ▶ デイリースクラム

　デイリースクラムでは前回のデイリースクラム以降に行った作業と次回のデイリースクラムまでに行う作業を確認していきます。これはスタンドアップミーティングと言われて全員起立した状態で先ほどの例えばタスクボードとかを使ってどんどん確認していきます。日本では朝会と言われるものもこれに該当します。立ったまま毎日決まった時間、決まった場所で行う。それで決まったものを見るというのが大切なんですね。

■ **前回のデイリースクラム以降に行った作業と、**
次回のデイリースクラムまでに行う作業を確認する

- 「スタンドアップミーティング」という。日本では「朝会」。
- 立ったまま、毎日決まった時間に、決まった場所で行う。
- 15分程度の短い時間。
- スクラムマスターは、開発チームの問題を解決する。
  デイリースクラムの状況は、プロダクトオーナーに報告する。

タスクボード

バックログ	担当	ToDo	DOING	DONE
PB1	X		手順書 手順書	
PB2	Y		画面制作	
PB3	Z	機能B テスト		機能A テスト

図5.5　デイリースクラム

　図5.5「15分程度の短い時間」で素早くやっていく、これはできれ
ばもっと短くてもいいぐらいですね。「スクラムマスターは、開発チー
ムの問題点を解決をする」、「デイリースクラムの状況は、プロダク
トオーナーに報告する」というようなところも、ここに含まれます。
図5.5にタスクボードというものがあって、スプリントバックログか
ら、PB1はXさんが担当で今やっていますよ（DOING）、PB3のZさ
んはテストが終わりましたよ（DONE）、というのがありますよね。
そういうようなことを確認しながら今の問題点を共有する時間とな
ります。スタンドアップミーティングをうまく回せるかどうかが結
構ポイントになってきますね。

5-6 スプリントレビュー

　図5.6「スプリントレビュー」、これはもうスプリントが終わってプロダクトを出すというような段階がスプリントレビューなんですけれども、簡単に言えば、（③　　　　　　　　　　　　　　　）です。

■ **スクラムチームとステークホルダーがスプリントの成果を
　レビューする**

- 納品可能な製品を動かす。
- 開発チームにおいて、自分たちが作ったバックログ項目が
　動いているかアピールする機会。
- スプリントがうまくいってプロダクトが成長していることを
　確認する機会。
- ステークホルダーも参加する。
- 価値を最適化するために次に何ができるかを
　参加者全員で話し合う。

図5.6　スプリントレビュー

スクラムチームとステークホルダーがスプリントの成果をレビューすると書いてありますが、納品可能な製品を動かしていくというのがポイントです。よくやってしまう、「ここの部分はまだ作れてないから動いてません」というのは駄目です。これは完全に製品として動くかどうかというのがポイントになります。そういう点をうまく考えれば、自分たちがこれだけやれるよということをアピールするいい機会になるし、プロダクトが（④　　　　　　　　　）していることを確認する機会でもあります。

　できればステークホルダーの皆様（いわゆる顧客ですね）も参加して、価値をもっと（⑤　　　　　　　　　）するためには次に何ができるのかを全員で話し合うという機会でもあります。

スプリントレトロスペクティブ

　スプリントが終わったら、スプリント自体でうまくいったことだとかうまくいかなかったことを話し合うのが、スプリントレトロスペクティブと呼ばれるものです。

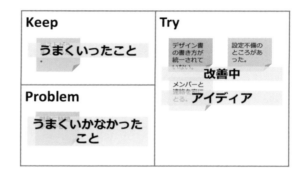

スプリントでうまくいったこと、うまくいかなかったこと、
どうしたら次のスプリントがうまくいくのか、KPTボードなどを
使って、話し合う。この振り返りがチームの改善につながる。

図5.7　スプリントレトロスペクティブ

これはスプリント自体の振り返りです。どこでどうしたら次のスプリントがうまくいくのかということをKPTボードなどを使って話し合いをしていきます。

　KPTボードというのは左上がKeepで、左下がProblemで右側がTryというところに領域を分けているだけで、その領域に分けたところに例えば付箋だとか、オンラインツールの付箋を貼り出して、みんなでどんどん書き込んでいくわけです。早く付箋を貼った方がいいですね。書いてぱっと貼っていくというのがいいです。

　それで、例えばうまくいかなかったことが今あるんだけれどもこういうことをやりたいですよといったところをTryに移動して、それでやってみるということを宣言するような形です。

　このKPTボードを使って振り返りをするというのは結構好評で、頭の中が整理できるというふうに言われますね。

　こういうようなところも今、タスクボードだとかKPTボードというものをご紹介しましたので、ぜひ実践していただくといいかなと思います。

この章のまとめです。スクラムの一連の工程には何があるか？これはたくさんありますね、プロダクトバックログの作成、スプリントプランニング、スプリントバックログの作成、スプリント、それで、スプリントで1～4週間使って動かして、デイリースクラムで毎日振り返りをする。スプリントレビューでプロダクトを出すときにみんなでチェックしていく。スプリントが終わったら、スプリントレトロスペクティブで全体の振り返りをするという流れですね。

　またタスクボードやKPTボードはどのような場面で登場するか？これは絶対にこのツールを使ってくださいというような正解ではありません、一つの例です。タスクボードは、スプリントバックログだとかスプリント、デイリースクラムなどで使ったりだとか、KPTボードはスプリントレトロスペクティブだとかデイリースクラム、振り返りで使っていくものになります。こういうようなツールもチェックしていただければと思います。

第5章のまとめ

スクラムの一連の工程には何があるか
プロダクトバックログの作成、スプリントプランニング、スプリントバックログの作成、スプリント、デイリースクラム、スプリントレビュー、スプリントレトロスペクティブなど

タスクボードやKPTボードはどのような場面で登場するか
タスクボードはスプリントバックログ、スプリント、デイリースクラムなどで、KPTボードは、スプリントレトロスペクティブで、デイリースクラムで使う場合もある。

第6章

アジャイルとDX

アジャイルとDX

6章「アジャイルとDX」をお送りします。

この章のポイントです。「DXとアジャイルにはどのような親和性があるか」というところを確認してください。

実は、アジャイルとDXはリンクするところがあるんです。

第6章のポイント

DXとアジャイルにはどのような親和性があるか

6-1 ▶ DXを推進するための アジャイル的なマインドセット

「なぜここでDX？」と思われるかもしれませんが、まずDXとは何かということを改めて整理していただきたいと思います。

■ DX（デジタルトランスフォーメーション）

企業がビジネス環境の激しい変化に対応し、データとデジタル技術を活用して、顧客や社会のニーズを基に、製品やサービス、ビジネスモデルを変革するとともに、業務そのものや、組織、プロセス、企業文化・風土を変革し、競争上の優位性を確立すること。

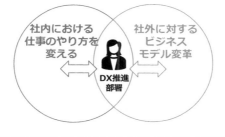

図6.1　DXとは

DXというのは「①　　　　　　　　　　　　　」と呼ばれていて、「企業がビジネスの環境の激しい変化に対応し、データとデジタル技術を活用して、顧客や社会のニーズを基に、製品やサービス、ビジネスモデルを変革するとともに、業務そのものや、組織、プロセス、企業文化・風土を変革し、競争上の優位性を確立すること」というのが、皆さん、DXの定義だったんですよ。

これは経済産業省の定義なんですけれども、非常に難しいです。なぜ難しいかというと、ビジネスモデルを変革するというところまで、なかなかいかないんですよね。例えばDXの推進部署というのは「社内」における仕事のやり方を変える。いわゆる業務効率化ですよね。もうそれも私はDXでいいかなというふうに思うんですけれども。

もう一つは「社外」に対する（②　　　　　　　　　　）というのもDXの要素としては挙げられるというようなことなんですね。そのときに、なぜアジャイルが必要になってくるのかということを考えていただきたいと思います。つまりDXを推進していく上では、「アジャイル的な考え方」がどうしても必要になってくるということです。

企業が取り組むべき内容というのが図6.2に書いてあります。

■ **DXに対するリテラシー教育**

- 「DXとはそもそも何か」を全員周知。
- 成長型のマインドセットを醸成する。
  "生まれつき変わらない"固定型マインドセットではなく、努力次第で変えられる考え方。「現状に満足せず変える」、「自分で考えて動き課題を解決しようとする」など

■ **DX専門部隊の設置**

- 業務内容の見直しや新しい技術の検討、外部人材の獲得など。
- 専門部隊にやらせっぱなしにせず、顧客（社外だけではなく社内の別部署）と共に動く。

図6.2　企業が取り組むべき内容

DXとはそもそも何かということを全員に周知していかないと、なかなかうまくいかないです。Ａさんが考えてるDXとＢさんが考えてるDXが違っているとやはり会社としては、「何かDXって結局中途半端だよね」というふうに終わってしまうので、そもそもDXとは何かということは全員に周知をしなければいけないですね。

　図6.2「マインドセットを醸成する」とありますけれども、マインドセットというのはいわゆる考え方のことで、1章からずっとマインドセットという言葉がいくつか出てきたかと思うんですけれども、成長型のマインドセットというものと、固定型のマインドセットというものがあります。

　固定型のマインドセットというのは生まれつき変わらないものということなんですが、成長型のマインドセットというのは努力次第で変えられる。例えば現状に満足しないだとか、自分で考えて動いて課題解決するだとか、そういうようなところをやっていかなければいけないということなんですね。

6

DXを推進するためのアジャイル的なマインドセット

また、図6.2「DX専門部隊の設置」ということで新しい技術を検討したり、業務内容を見直したりだとか外部人材を獲得したりだとか、そういうようなところをやっていく必要があります。ただDXの専門部隊を設置したものの、「じゃぁやってよ！」とやらせっぱなしになってしまうのではマズイですね。顧客とともに動くことが必要になってきます。これは社外だけではなくて社内の別部署の場合もですね。このあたりぐらいから、会社で動くためにはアジャイルの考え方でDX推進していかないといけないよねということがリンクしてくると思いますね。

■ **DXとアジャイルは相性がよい**

- 試行錯誤を繰り返して進めるため、実際に手を動かしてみて わかることが多い。
- 優先順位の高い機能から取り組める。
- 最低限の機能がそろった状態でリリースすると、 顧客や市場の反応をプロジェクトに反映可能。

デザイン 企画 開発 評価 リリース デザイン 企画 開発 評価 リリース デザイン 企画 開発 評価 リリース

図6.3　DXにアジャイル開発を採用すべき

図6.3「DXとアジャイルは相性がよい」。アジャイルとは何だった かというと、とにかく短期間でいろいろと繰り返していく、それぞ れリリースしていくというような形ですね。ここがポイントになっ てくるわけですけれども、（③　　　　　　　　　　　）を繰り返して 進めるので実際に手を動かしてみてわかることが多いということで す。そういう点でも結構似ているということになります。

また、優先順位の高い機能から取り組めるというところもありま すね。これはスクラムのところでご紹介したかと思いますけども、 バックログとかありましたね。また最低限の機能が揃った状態でリ リースすると顧客だとか市場の（④　　　　　　　　　　）をプロ ジェクトに反映することができるというところも、アジャイルと相 性がよいポイントになります。

6-2 DX人材のポイントとは ～意識改革が必要だ！

　図6.4にDX人材が不足している理由が書いてあります。先ほどDXとアジャイルは相性がよいというお話をしましたけれども、アジャイル的な考え方で、まずはやってみよう、やってみてプロダクトを1回作ってみようというようなところに行かないとなかなか進まないんですね。例えばDXの推進部署ができましたといっても、プロダクトを作るのに設計が3ヶ月で製造が4ヶ月でテストが3ヶ月とかになってしまうと1年掛かりになってきて、1年後には違う文化になっているということもあるわけなんですね。

　そういうようなことがまずあって、人材不足といったところがやっぱりここにも絡んでくるんです。アジャイルの考え方をわかる人を育てるというのもポイントなのかなと思います。

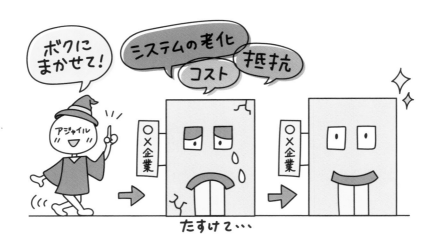

■ **DX人材が不足する理由**

- 既存システムが複雑になり、変更することが技術的、コスト的にも抵抗がある。
- 大胆な業務の見直しが必要となり、現場サイドの抵抗が強い。

■ **リスキリングの必要性**

- スキルの大幅な変化に適応するため、必要なスキルを獲得。
- スキルに対する適切な評価（フィードバック・待遇面）と、キャリア雇用機会（やりがい）を創出する。

スクラムに含まれる「協働」の考え方で
DXもアジャイル的に推進していきましょう！

図6.4　DX人材は不足している

　図6.4「既存のシステムが複雑になり、変更することが技術的、コスト的にも抵抗がある」。変わることはやりたくないですよね。やりたくないかもしれないんだけれども、例えば既存のシステムがずっと使い続けられるかというとそうではない。例えばセキュリティの問題がある、システムが古くなった（老朽化の問題ですね）、どうしても使い続けるということができない可能性があるんですね。

　そういうようなときに、例えばここでやっぱりシステムを変えないとというふうにならなければいけない。最悪の場合は、いきなり使えなくなってしまう。それは困っちゃいますよね。なのでそういう点においても、確かに変えるというのは抵抗があるんだけれども、そこはやっぱり見直していかなければいけないということになるんですね。

図6.4「大胆な業務の見直しが必要となり、現場サイドの抵抗が強い」というところも本当にその通りだなと思います。現場サイドの抵抗が強いというのはやっぱりあって、変わるということに対して抵抗が生まれてしまうというのが現実なんですね。

　アジャイル的な考え方で少しずつリリースをしてプロダクトを出して、例えば顧客も開発者も満足した製品が作れているというようなことができて、喜びがずっと継続していけば、こういったところも変わっていけるのかなと思います。

　DX人材のところでもう一つ挙げられるのが本書のような講座とかもそうですけども、リスキリングの必要性なんですね。このリスキリングというのは、必要となってくるスキルが変わっていってるわけですよ。例えば昔はクラウドなんて別に覚えなくてもよかったのが今はクラウド覚えなきゃいけないだとか、どうやらアジャイルっていう考え方が必要だよと思ってアジャイルを皆さん勉強していただいてるだとか、そういうように学ぶべきものが変化しているわけですね。それによって必要なスキルを獲得していくといったことがリスキリングと呼ばれているものになります。

このリスキリングというものが、価値を生み出すというところに繋がっていかないといけないんです。だから、（⑤　　　　　　　）では駄目なんですね。なのでスキルに対する適切な評価、フィードバックだとか、待遇面だとか、あとはキャリア・雇用機会といういわゆるやりがいとかも含めて、「こういうプロジェクトがあるよ？やってみたら？」とか、そういうところまであって初めて学んだことが活かせるんです。そういうところもちゃんとリスキリングのゴールとしては出さなければいけないということになります。

　スクラムの話を前章でもやってきましたけれども、「協働」で動くというのはものすごく大切です。顧客側から言われたことをそのままやるというわけではないです。顧客側と開発側が両方で何に価値があるんだということを考えて動くのはDXにおいてもアジャイルにおいても必要ということで、こういう点に気をつけて推進していかなければいけませんね。

キミたちを待ってるよ！

人材が足りない！リスキリングを通じてDXやアジャイルを学んでキャリアアップをしよう！

この章のまとめです。DXとアジャイルにはどのような親和性があるかというところでは、現状に満足しないということがポイントです。顧客の価値を向上させようとする姿勢というのは、DXやアジャイルでも共通となります。

　また、試行錯誤を繰り返して進めるアジャイルというのは顧客の変化に対応しやすい形なんですね。

　しかしながら、圧倒的にDX人材は不足しています。もう足りないです。なので本書とかを含めてリスキリングを通じて、必要なスキルをぜひ習得していただきたいと思います。と同時に、評価だとか、「次のプロジェクトにチャレンジできるぞ」とか、そういうようなキャリア作りも進めていく必要があります。

第6章のまとめ

DXとアジャイルにはどのような親和性があるか

現状に満足せず、顧客の価値を向上させようとする姿勢はDXやアジャイルでも共通である。
また試行錯誤を繰り返して進めるアジャイルは、顧客の変化に対応しやすい。
しかし、圧倒的にDX人材は不足している。
リスキリングを通じて、必要なスキルを習得することと同時に評価やキャリア（職場）づくりも進めていく必要がある。

ワークシート

これまでの学習を踏まえた上であなた自身や所属する会社などに置き換えて、
アジャイルについて考えてみましょう!

①あなたの身近なところで、アジャイルな考え方・働き方によって改善・解決
　できそうなことは何がありますか?

②あなたの会社などでは、アジャイルな働き方に取り組んでいますか?
　まだ取り組んでいない場合、アジャイルによってどんな効果が期待できそうですか?

③あなたの会社や部署がまだアジャイルな組織ではない場合、
　これから変わるにあたって課題になりそうなことは何ですか?

④あなたは、部署の責任者に選ばれました。
　役職者として、アジャイルのマインドセットを仕事の中でどう具体的に発揮しますか?

⑤あなたは、新入社員の教育担当者に選ばれました。担当者として、
　アジャイルのマインドセットについて何をどのように教えますか?

解 答

answer

全ての空欄が埋まりましたか？

> **第1章** | **アジャイルのこと知っていますか？**

- ①ビジネスの変化に対応
- ②投資対効果
- ③顧客の要求
- ④共有
- ⑤価値

> **第2章** | **アジャイルの背景にある考え方**

- ①フィードバック
- ②不確実
- ③前向き
- ④自律性
- ⑤最新技術

> **第3章** | **自分の組織を考えよう**

- ①対話中心
- ②サイロ化
- ③一極集中
- ④自律分散
- ⑤チーム

第4章 俊敏に動くための考え方を理解しよう

① 優位性

② 常識

③ 組み合わせ

④ 任せる

⑤ ノウハウ

第5章 アジャイルで最も使われているスクラム

① 顧客のわかる言葉

② 優先順位

③ デモンストレーション

④ 成長

⑤ 最適化

第6章 アジャイルとDX

① デジタルトランスフォーメーション

② ビジネスモデルの変革

③ 試行錯誤

④ 反応

⑤ 学びっぱなし

ITERATION AGILE

索引

index

索引

【著者略歴】

阿部　晋也

情報処理安全確保支援士
Microsoft Certified Trainer
Microsoft Certified DevOps Engineer Expert
リクルート系印刷会社でDTPオペレーター、システム開発会社で
Webアプリケーション制作を経験し、独立。プロジェクトチームで
の開発受託を開始、物流・通信など幅広いSE業務に従事。開発
経験を活かし、愛知工業大学経営学部非常勤講師や専門学校非
常勤講師に従事。現在はDX関連として、マネジメント、RPAや
Pythonなどの業務効率化、人工知能（AI）、クラウドなどの法人
研修講師、教材執筆、システム開発などマルチに活躍。
著書「これって個人情報なの?意外と知らない実務の疑問（共著,
税務研究会）」「ゼロから学ぶAI入門講座（コガク）」「ゼロから学
ぶデータサイエンス入門講座（コガク）」等。

ゼロから学ぶアジャイル入門講座

2023年4月30日　　初版発行

著　　　　者　　阿部 晋也
発　行　者　　伊藤　　均
発行所・編者　　株式会社 コガク
　　　　　　　　〒160-0007 東京都新宿区荒木町23-15
　　　　　　　　アケボノ大鉄ビル2階
　　　　　　　　TEL:03-5362-5164　FAX:03-5362-5165
　　　　　　　　URL:https://www.cogaku.co.jp

発行所・販売元　　とおとうみ出版
　　　　　　　　〒432-8051 静岡県浜松市南区若林町888-122
　　　　　　　　TEL:053-415-1013　FAX:053-415-1015
　　　　　　　　URL:https://www.tootoumi.com

イ ラ ス ト　　IDEARNEST株式会社　黒野 裕巳佳

印 刷・製 本 所　　東海電子印刷株式会社
　　　　　　　　本書は丈夫で開きの良い「PUR製本」です。

©阿部 晋也, 2023
ISBN 978-4-910754-10-9
Printed in Japan

tootoumi.com

Cogaku

BC04-T